De la petite taupe qui voulait savoir qui lui avait fait sur la tête

Werner Holzwarth / Wolf Erlbruch

De la petite taupe qui voulait savoir qui lui avait fait sur la tête

MILAN

Comme tous les soirs, la petite taupe sortit de terre son museau pointu, histoire de voir si le soleil avait disparu. Et voici ce qui arriva.

(C'était rond et marron, aussi long qu'une saucisse, et le plus horrible fut que ça lui tomba exactement sur la tête, sploutsch!)

–Mais c'est dégoûtant ! rouspéta la petite taupe. Qui a osé faire sur ma tête ?
(Évidemment, personne ne répondit.)

–Dis donc, le pigeon ! glapit-elle. Est-ce toi qui m'as fait sur la tête ?

–Mais non, voyons !
Moi, je fais comme ça !
(Et splatschh ! un pâté laiteux vint s'écraser juste devant la petite taupe, et moucheta de blanc son pied droit.)

-Hé ! Le cheval ! Est-ce toi qui m'as fait sur la tête ?

– Mais non, voyons !
Moi, je fais comme ça !
(Et pouf, pouf, pouf, pouf, pouf ! il bombarda l'herbe de cinq gros crottins. La petite taupe fut trèèès impressionnée.)

-Holà ! Le lièvre !
Est-ce toi qui m'as
fait sur la tête ?

– Mais non, voyons ! Moi, je fais comme ça !
Et ratatatata ! cinquante haricots tout ronds pétaradèrent aux oreilles de la petite taupe.

– Sois franche, la chèvre !
Est-ce toi qui m'as fait
sur la tête ?

-Mais non, voyons !
Moi, je fais comme ça !
(Et clang-di-clang-di-clang !
une série de berlingots
couleur chocolat dégringolèrent
sur la prairie.
La petite taupe leur trouva
un air fort gracieux.)

-Réponds, la vache !
Est-ce toi qui m'as fait
sur la tête ?

– Mais non, voyons!
Moi, je fais comme ça!
(Et ssplaoutsch! une énorme bouse verdâtre s'écrabouilla mollement sur le sol. « Saperlipopette! pensa la petite taupe, c'est une chance que cette chose-là ne me soit pas tombée sur la tête! »)

– Avoue, cochon !
Est-ce toi qui m'as fait
sur la tête ?

-Mais non, voyons ! Moi, je fais comme ça !
(Et vlouf ! il envoya un paquet brun et mou derrière lui. Beuark ! La petite taupe dut se boucher le nez.)

- Hep, vous ! Est-ce... ? commença la petite taupe.
Mais il n'y avait là que deux grosses mouches noires, qui faisaient bombance. Le genre de personnes imbattables sur le sujet.

- Qui a bien pu me faire sur la tête, mesdemoiselles ? demanda-t-elle.

Les deux mouches
n'hésitèrent
pas longtemps.
-Aucun doute,
ma chère, c'est
un chien.

Cette fois, la petite
taupe le tenait,
le gros malpropre
qui avait fait
sur sa tête :

Jean-Henri,
le chien du boucher !
(Sa vengeance allait être terrible !)

D'un bond, la petite taupe sauta sur la niche de Jean-Henri...
(Et pling ! une minuscule cacahuète noire atterrit entre les oreilles du cabot répugnant.)

Voilà ! Justice était faite ! Radieuse, la petite taupe s'enfonça à nouveau dans les entrailles de la terre, là où, assurément, personne au monde ne pouvait lui faire sur la tête.

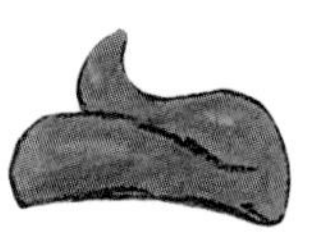

Traduit de l'allemand par Rozenn Destouches et adapté par Gérard Moncomble

Dépôt légal : 2e trimestre 2018
ISBN : 978-2-7459-9833-0
Imprimé en Bulgarie par Pulsio

Dès 3 ans

- Aimez-vous les bébés ?
- Boucle d'or et les trois ours
- Bouh !
- Le capitaine Jean Lafrousse
- Ça se peut ou ça se peut pas ?
- C'est pas moi, c'est mon loup !
- C'est ta faute !
- Et crac !
- Gros-Pif apprend à lire
- Je veux qu'on m'aime
- Joyeux Noël, Petit Hérisson !
- La longue marche des doudous
- Le Noël du hérisson
- Le nounours de Noël
- L'ourson de Noël
- La Petite Souris, le père Noël et le lapin de Pâques
- Pourquoi ? Parce que je t'aime
- Le premier grand voyage du père Noël
- Quel est le secret du père Noël ?
- Qui conduit ?
- La soupe au caillou
- Le traîneau de Petit Hérisson
- Les trois petits cochons
- Tu es trop petit !
- Un agneau pour le dîner
- Un Noël d'écureuil

Dès 5 ans

- Cardamome la sorcière
- Le chevalier à la courte cervelle
- Les fables de La Fontaine
- Le fils de Cardamome
- Il ne faut pas faire pipi sur son ombre !
- Il y a quelqu'un sous mon lit
- J'ai 5 ans et je ne pleure plus
- Jason et la Toison d'or
- Le jeune loup qui n'avait pas de nom
- Jinko le dinosaure
- Kirikou et le buffle aux cornes d'or
- Kirikou et le collier de la discorde
- Kirikou et le fétiche égaré
- Kirikou et la girafe
- Kirikou et la hyène noire
- Kirikou et les ombres
- La maîtresse a de grandes oreilles (avec des poils dedans)
- La maman la plus méchante du monde
- Ma mère a des super-pouvoirs
- Même pas peur !
- Mes parents adorent les animaux
- Monsieur Zizi
- Le mystère Ferdinand
- Persée et Méduse
- Le Petit Chaperon qui n'était pas rouge

- Le secret du soir
- Thésée et le Minotaure
- Tibert et Romuald
- Ulysse et le cheval de Troie
- Ulysse et le Cyclope
- Un bon point pour Zoé